D0423193

Direction de la publication : **Isabelle Jeuge-Maynart**
et Ghislaine Stora
Direction éditoriale : **Delphine Blétry**
Édition : **Ewa Lochet**
Direction artistique : **Emmanuel Chaspoul**
Mise en page : **Natacha Marmouget**
Lecture-correction : **Joëlle Narjollet**
Couverture : **Claire Mieyeville assistée des PAOistes**
Fabrication : **Annie Botrel**

Crédits photographiques

Fabrice Besse (stylisme Sabine Paris) © coll. Larousse : 35 ;
Guillaume Czerw (stylisme Alexia Janny) © coll. Larousse : 23, 27, 47, 49 ;
Caroline Faccioli (stylisme Manuela Chantepie) © coll. Larousse : 15 ;
Marie-José Jarry (stylisme Bérengère Abraham) © coll. Larousse : 11 ;
Jean-François Mallet © coll. Larousse : 31 ; © Thinkstock : 19, 25, 51 ;
Olivier Ploton (stylisme Noëmie André) © coll. Larousse : 21, 53, 55 ;
Olivier Ploton (stylisme Bérengère Abraham) © coll. Larousse : 37, 57 ;
Amélie Roche (stylisme Alexia Janny) © coll. Larousse : 29, 43 ;
Corinne Rymann et Pierre Cabannes © coll. Larousse : 41 ;
Pierre-Louis Viel (stylisme Valéry Drouet) © coll. Larousse :
13, 17, 33, 39, 45.

ISBN 978-2-03-588437-4

Imprimé en Italie par LEGO Spa, Vicenza
Dépôt légal : août 2012 – 309555 – 11019484 juin 2012

LES MINI 🍷 LAROUSSE

Accords
METS & VINS

Plats et vins
à partager entre amis

Odile Pontillo

LAROUSSE

21 rue du Montparnasse 75283 Paris Cedex 06

Tous les mets

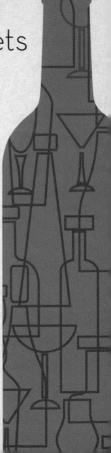

Tous les vins

VINS BLANCS

Pouilly Fumé	28
Savennières	46

Saint-Émilion Grand Cru	36
Saint-Mont	16
Vin de Savoie	24

VINS ROUGES

Alsace Pinot noir	40
Anjou-Villages	16
Bandol	20
Bourg Côtes-de-Bordeaux	26
Cahors	34
Châteauneuf-du-Pape	36
Côtes d'Auvergne	18
Côtes-du-Rhône	50
Côtes-du-Rhône-Villages	38
Côtes-du-Roussillon Villages	30
Crozes Hermitage	22
Fleurie	28
Gaillac	26
Maury	52
Mercurey	22
Minervois La Livinière	34
Rivesaltes « tuilé » ou « hors d'âge »	52

VINS ROSÉS

Bordeaux clairet	18
Collioure	38
Corbières	20
Coteaux-d'Aix-en-Provence	30
Côtes-du-Rhône	44
Tavel	10
Touraine rosé	12
Vin de Corse	14

SYMBOLES UTILISÉS

vin coup de cœur

Prix : € moins de 6 €

€ € entre 6 € et 10 €

€ € € au-delà de 10 €

Les 24 plats proposés dans cet ouvrage figurent parmi les plus appréciés actuellement sur nos tables familiales ou amicales. Conviviaux, ils peuvent être présentés en plat unique afin que tout le monde « reste à table ». Pour chaque plat, vous avez le choix entre deux vins pour trouver l'harmonie en fonction de vos préférences mais aussi de l'humeur, du budget, de la saison... Le commentaire qui les accompagne tente d'expliquer les liens entre la recette et le vin idéal (coup de cœur) ou sa meilleure alternative. Ce simple descriptif permet ainsi de faire son choix selon la tendance gustative que l'on a envie de créer. Harmonies classiques, originales, parfois décoiffantes, il y en a pour tous les goûts, l'essentiel étant de rester dans la note juste, (se) régaler... en comprenant pourquoi !

L'harmonie entre les vins et les mets : une alchimie gustative !

En bouche, il n'est plus question ni de mets, ni de vin : l'union solide-liquide révèle une toute nouvelle perception, due à la combinaison de leurs composants respectifs (arômes, saveurs, texture, densité, etc.).

LES ACCORDS FUSIONNELS

Certains tandems vins-mets fonctionnent selon le principe des similitudes, c'est-à-dire avec des éléments identiques, équivalents ou situés dans le même registre.

• **Tendance** Entre desserts et vins doux, la saveur sucrée commune fait le « pont ». Sauce poivrade et cépage syrah ont tous deux un goût relevé de poivre qui devient omniprésent.

• **Âge** Petits légumes croquants de début de saison et vins blancs ou rosés jeunes et toniques ? Le printemps est sur la table. Gibier en sauce aux champignons et vin vieux ? L'ambiance est à la douceur des saveurs automnales.

• **Origine** À poissons et fruits de mer, vins aux saveurs salines issus de terroirs ventilés par les embruns (Muscadet), ou

nés sur un sol d'origine marine (Chablis). À vins « solaires »,
recettes méditerranéennes.

• **Apparence** Sur une viande ou volaille blanches (veau ou
poulet) ? Vin blanc, assurément... Sur viande rouge ou volaille
de caractère (bœuf, canard) ? Vin rouge évidemment !

• **Style** Une recette raffinée (volaille finement farcie, par exemple)
ne peut s'accompagner que d'un vin élégant (grand cru mis
en carafe), tout comme un plat de bistrot (boudin grillé-frites)
s'escorte d'un vin « canaille » (Beaujolais, Touraine primeur).

LES ACCORDS DE CONTRASTE

Parfois, c'est sur l'apparente opposition de leurs éléments
que vins et mets peuvent aussi se révéler, voire se magnifier.

• **Complexité-simplicité** Un grand cru aux saveurs complexes
préfère un plat simplissime, par exemple un rôti avec son jus
de cuisson. Chacun des arômes du vin peut ainsi se révéler
alors que la pièce de viande montre son élégante modestie.

• **Calme-nervosité** Un pot-au-feu aux viandes et légumes
délicieusement amollis adore se faire ragaillardir, voire bous-
culer, par un vin rouge jeune aux petits tanins mordants et
fruités (Chinon ou Beaujolais-Villages de 2 ans, par exemple).

• **Ici et ailleurs** Comment expliquer la perfection d'un
Gewurztraminer sec, bien alsacien, avec des recettes du
bout du monde, à base de safran, curry, fruits exotiques ?
Par ses arômes naturellement épicés, fruités, exotiques aussi !

• **Guerre ou paix ?** Entre un vin blanc liquoreux et du foie gras, saveurs (sucré-salé) et parfums (fruité-viscéral) s'opposent. C'est l'enchevêtrement de toutes ces relations « contraires » qui capte l'attention, convainc et séduit.

ET AUSSI... LES INCOMPATIBILITÉS

Délectables dégustés séparément, tel vin et tel plat se montrent parfois hostiles, se confrontent, se « détruisent » l'un l'autre. Voici quelques exemples instructifs pour vous mettre en garde.

• **Desserts et champagne brut** Aussi apprécié soit-il à l'apéritif, pour sa fermeté en bouche et ses saveurs acidulées d'agrumes, le champagne devient dur, acide et amer sitôt mis en contact avec la sucrosité d'une savoureuse pâtisserie. La parade ? Servir un demi-sec, qui aura la douceur nécessaire pour faire le lien.

• **Vinaigrette et vin** Tous les vins (blancs, rouges, rosés, doux, légers, etc.), même si cela est peu perceptible, sont naturellement acides. Voilà pourquoi ils réagissent mal, semblent se faire « désintégrer » par l'acidité d'une sauce fortement vinaigrée ou citronnée.

• **Fromages et vins rouges** On oublie parfois que le fromage est très salé et le vin rouge (souvent) très tannique ! Or, sel et tanins ne s'accordent pas en bouche et finissent par donner âcreté et goût savonneux. Voilà pourquoi les amateurs préfèrent de loin les vins blancs sur un plateau de fromages ou concèdent seulement des rouges aux tanins légers ou souples.

APÉRITIF DÎNATOIRE
[ou tapas, mezze]

 VIN ROSÉ SEC, PUISSANT, CHALEUREUX ET ÉPICÉ

TAVEL €€

Région : Vallée du Rhône. • **Cépages :** grenache, mourvèdre.
Harmonie : alléchantes, les recettes méditerranéennes, mais si variées en saveurs ! Il faut donc un vin polyvalent ! Générosité alcoolique, mâche tannique, caractère fruité-floral, notes poivrées, fine amertume, joli fond acidulé… Ce grand rosé maîtrise tout !
Âge idéal : 2 à 3 ans. • **Temp. de service :** 11-12 °C.

VIN BLANC EFFERVESCENT, BRUT, ÉQUILIBRÉ, ÉLÉGANT

CRÉMANT DE BOURGOGNE BRUT €€

Région : Bourgogne. • **Cépage :** chardonnay.
Harmonie : le lien est difficile à faire entre gougères, brochettes de petits légumes crus, canapés aux saveurs marines, mini-pâtés en croûte… Mais l'équilibre, la fraîcheur agrumes et la pétillance excitante du chardonnay opèrent sur tous avec charme, tact et entrain.
Âge idéal : non millésimé. • **Temp. de service :** 8 °C.

Le principe de l'apéritif dînatoire est de proposer pléthore de saveurs, mais la boisson d'accompagnement doit en déterminer le style général : vin puissant méditerranéen avec tapas, mezze, mais champagne ou crémant avec les classiques canapés et toasts raffinés.

ET AUSSI...

Un champagne, brut ou extra-brut, pour donner plus d'élégance à un apéritif « classique ». Un Beaujolais-Villages sera de rigueur pour un apéritif rustique (saucisson-fromage).

APPELLATION TAVEL CONTRÔLÉE

CHÂTEAU D'AQUERIA

MIS EN BOUTEILLE AU CHÂTEAU

TAVEL

Jean OLIVIER, S.C.A., Producteur à TAVEL 30126. FRANCE
PRODUIT DE FRANCE

SUSHIS ET SASHIMIS
[ou salade de riz au thon, crevettes et surimi]

 VIN BLANC SEC, ROND, PARFUMÉ,
TRÈS AGRÉABLE

ALSACE PINOT BLANC €

Région : Alsace. • **Cépage :** pinot blanc (klevner).
Harmonie : rondeur du vin et souplesse du riz rivalisent
pour que tout s'homogénéise en bouche. Les arômes
fruités et floraux du pinot blanc rehaussent les saveurs
végétales des petits légumes, autant que les autres saveurs,
marines, salées... tandis qu'ils calment le brûlant wasabi !
Âge idéal : 1 à 2 ans. • **Temp. de service :** 8-9 °C.

VIN ROSÉ SEC, VIF, AROMATIQUE,
PLAISANT

TOURAINE ROSÉ €

Région : Loire. • **Cépages :** gamay, pinot noir, grolleau.
Harmonie : ce rosé réveille le côté neutre du riz et la
(relative) discrétion des éléments qui le farcissent. Il rend
l'ensemble plus gai grâce à ses parfums de petits fruits
rouges frais et plus guilleret avec ses tanins acidulés.
Âge idéal : 1 à 2 ans. • **Temp. de service :** 10-11 °C.

Les vins blancs secs ou rosés secs sont très agréables avec les spécialités japonaises à base de riz, poissons, crustacés et légumes, telles que nous les connaissons bien.

ET AUSSI...

Si vous choisissez un vin d'Anjou, soyez vigilant : l'« Anjou rose » est sec, donc compatible avec ce plat. Mais le « Rosé d'Anjou » est doux, donc impensable sur les saveurs marines.

VIN D'ALSACE
APPELLATION ALSACE CONTRÔLÉE
WHITE ALSACE WINE

"Bouquet de Printemps"

PINOT BLANC

Domaine
Jean-Marc BERNHARD
Jean-Marc et Frédéric BERNHARD
Vignerons indépendants à F-68230 KATZENTHAL
Mis en bouteille à la propriété · Produce of France
www.jeanmarcbernhard.fr

BUFFET DE SALADES ESTIVALES

🍷 VIN ROSÉ SEC, ÉQUILIBRÉ, PARFUMÉ, CONSENSUEL

VIN DE CORSE €€

Région : Corse. • **Cépages :** nielluccio, sciacarello.
Harmonie : couleurs, saveurs, odeurs se croisent et s'entrecroisent délicieusement, mais égarent les papilles. Heureusement, le fort tempérament gustatif (acidité-alcool-petits tanins) et aromatique (fruité-épicé) de ce rosé corse recadre tout. Il calme les débordements des épices et aromates, s'ajuste au salé comme au sucré, aux textures molles comme aux textures croquantes.
Âge idéal : 1 à 2 ans. • **Temp. de service :** 10 °C.

🍷 VIN BLANC SEC, ÉQUILIBRÉ, PARFUMÉ, PLAISANT

MÂCON €€

Région : Bourgogne. • **Cépage :** chardonnay.
Harmonie : ce jeune Mâcon présente l'équilibre et la fraîcheur si recherchés dans le chardonnay avec, en plus, la rondeur aux saveurs de fruits mûrs, exotiques, et une note de poivre, caractères fort judicieux sur ce buffet éclectique.
Âge idéal : 1 à 3 ans. • **Temp. de service :** 8 °C.

Pas de retenue sur les salades l'été ! Les saveurs les plus exotiques des mélanges les plus inventifs doivent exciter l'appétit, rafraîchir le palais. Sucré-salé, pointe de piment, fruits et légumes mêlés, sauces « étranges », herbes fraîches ou sèches... Tout peut figurer au menu !

ET AUSSI...

Avec des recettes d'inspiration marine (poisson, fruits de mer), préférez un blanc sec. Avec des éléments plus « terriens » (dés de charcuterie ou de fromage, piments, aromates puissants...), orientez-vous vers un rosé sec.

Cuvée Castellu Vecchiu
VIN DE CORSE
Appellation d'Origine Protégée

MIS EN BOUTEILLE AU DOMAINE
SCA du Mont Saint Jean, 20230 Antisanti

SALADE PAYSANNE
[ou salade gasconne, assiette périgourdine]

 VIN ROUGE TANNIQUE, RUSTIQUE
ET CHARMEUR

SAINT-MONT €€

Région : Sud-Ouest. • **Cépages :** tannat, cabernet, merlot.
Harmonie : dans les salades du Sud-Ouest, les légumes semblent n'être là que pour la bonne conscience... L'accord « vrai » se fait avec lardons, gésiers, foie gras : les tanins et l'alcool fondent le gras en attendrissant les chairs, les parfums sous-bois en rehaussent le goût fumé.
Âge idéal : 2 à 5 ans. • **Temp. de service :** 16-17 °C.

VIN ROUGE STRUCTURÉ, RAFRAÎCHISSANT
ET AROMATIQUE

ANJOU-VILLAGES €€

Région : Loire. • **Cépage :** cabernet franc.
Harmonie : dés de jambon et de fromage laissent le cabernet franc jouer de ses petits tanins fruités tandis que pommes de terre et légumes croquants s'entremêlent à ses saveurs de terre humide aux notes de violette et cassis. Une correspondance juste et rafraîchissante.
Âge idéal : 2 à 4 ans. • **Temp. de service :** 14-15 °C.

Selon la proportion des ingrédients, ces salades complètes deviennent hivernales (avec plus de viandes grasses, fumées et servies tièdes) ou estivales (plus de légumes frais), et orientent ainsi le choix du style de vin.

DU FROMAGE ?

Les fromages secs (salers, tomme de brebis...) apprécient les saveurs tanniques, cuir et sous-bois de tous les vins rouges du Sud-Ouest et du Bordelais.

BERET NOIR

SAINT MONT

MIS EN BOUTEILLE À LA PROPRIÉTÉ

2009

FRANCE SUD-OUEST

PLAIMONT
PRODUCTEURS

PLANCHE DE CHARCUTERIE ET VIANDE FROIDE
[ou assiette anglaise]

 VIN ROSÉ SEC, PUISSANT, STRUCTURÉ, « SÉRIEUX »

BORDEAUX CLAIRET ⊜

Région : Bordelais. • **Cépages :** merlot, cabernet.
Harmonie : entre viandes blanches délicates et charcuteries goûteuses, salées, le vin doit... marcher sur la pointe des pieds ou y aller à grands coups de talon ! Le côté « intermédiaire » (entre rosé et rouge) du Bordeaux clairet aide à concilier ces nombreuses textures et saveurs.
Âge idéal : 1 à 3 ans. • **Temp. de service :** 12 °C.

 VIN ROUGE, RAFRAÎCHISSANT, RUSTIQUE ET GOULEYANT

CÔTES D'AUVERGNE ⊜

Région : Auvergne. • **Cépages :** gamay, pinot noir, syrah.
Harmonie : le judicieux assemblage de cépages permet au vin de poivrer les charcuteries fortes (syrah), de fruiter les viandes blanches (pinot noir) et de minimiser le « gras-salé » général (gamay). C'est franc, rustique, mais savoureux.
Âge idéal : 2 à 3 ans. • **Temp. de service :** 14-15 °C.

Selon les éléments de l'assortiment, vous choisirez un vin rouge de même origine : par exemple, un vin de pinot noir avec des spécialités alsaciennes, un vin du Roussillon ou du Beaujolais avec des charcuteries catalanes ou lyonnaises, etc.

ET AUSSI...

Si vous optez pour des charcuteries « blanches » (cervelas, mortadelle, jambon, boudin) ainsi que du poulet, du porc et du veau froids, des vins rosés ou blancs secs seront les bienvenus.

GRAND VIN DE BORDEAUX

CHÂTEAU
LES BERTRANDS

2011

BORDEAUX CLAIRET

LASAGNES À LA BOLOGNAISE
[ou spaghettis à la bolognaise]

 VIN ROSÉ SEC, ÉQUILIBRÉ, PARFUMÉ ET DE CARACTÈRE

CORBIÈRES €€

Région : Languedoc. • **Cépages :** cinsaut, grenache.
Harmonie : sous son apparente simplicité, ce plat recèle matières et arômes complexes. Ce Corbières donne à juste escient sa fraîcheur acidulée à la sauce tomate, ses petits tanins et sa chaleur alcoolique au hachis de viande, sa rondeur à la béchamel, et ses parfums de fruits rouges au fromage gratiné qui couronne le tout.
Âge idéal : 1 à 2 ans. • **Temp. de service :** 10-11 °C.

 VIN ROUGE STRUCTURÉ, TANNIQUE, TRÈS TYPÉ (MÉDITERRANÉEN)

BANDOL €€

Région : Provence. • **Cépages :** mourvèdre, grenache, syrah.
Harmonie : choisissez un Bandol jeune qui n'a pas été élevé en fût de chêne. Le mourvèdre exprime ainsi ses tanins aux saveurs d'olive noire, de garrigue, de fruits sauvages, sa nuance de cuir, de poivre : il « épice » le plat à lui seul.
Âge idéal : 3 à 5 ans • **Temp. de service :** 15-16° C.

Un bon tour de moulin à poivre ou, mieux, des poivres mélangés rendront ce plat moins « enfantin » et ne nuiront pas si l'on opte pour des vins d'expression méditerranéenne.

DU FROMAGE ?

Pour faire suite et rester dans le registre méditerranéen, ces vins sauront accompagner des fromages de vache, de brebis, ceux de chèvre un peu secs ou marinés à l'huile d'olive, ail, poivre et herbes de la garrigue.

CÔTE DE BŒUF AU GRIL
[ou rosbeef, gigot d'agneau au barbecue ou au four]

VIN ROUGE « TONIQUE », FRUITÉ ET POIVRÉ

CROZES-HERMITAGE €

Région : Vallée du Rhône. • **Cépage :** syrah.

Harmonie : la correspondance est immédiate entre les arômes (animal et poivre) présents à la fois dans la viande et le vin. En bouche, les textures (fibres de viande et tanins fermes) se répondent point par point. Une cuisson au feu de bois réclame les saveurs boisées-fumées d'un vin élevé en fût ; une cuisson au gril ou au four appellera un vin dont le fruité a été préservé par un élevage en cuve.

Âge idéal : 2 à 5 ans. • **Temp. de service :** 15-16 °C.

VIN ROUGE ÉLÉGANT, FRUITÉ, SAVOUREUX

MERCUREY €€€

Région : Bourgogne. • **Cépage :** pinot noir.

Harmonie : en bouche, saignant de la viande et fruit rouge du vin fusionnent immédiatement comme par magie, cela ne s'explique même pas ! L'ensemble est juteux, savoureux et si fondant qu'il ne demande aucun effort de mastication.

Âge idéal : 3 à 5 ans • **Temp. de service :** 15-16 °C.

Le degré de cuisson de la viande importe dans le choix du vin. Une viande saignante (bleue) demandera un vin rouge fruité ; une viande bien (ou très) cuite acceptera un vin rouge tannique, réglissé, épicé, fumé (élevé en fût) ; une viande « à point » supportera tous les vins.

SELON LE STYLE DU PLAT

Pour un plat de style méditerranéen (herbes de Provence, ail, poivres mélangés...), choisissez le Crozes-Hermitage ou un autre cru du Sud. Avec un assaisonnement minimal (sel et poivre), optez pour le Mercurey ou un autre bourgogne rouge, voire un cru du Beaujolais.

RACLETTE
[ou fondue au fromage, croque-monsieur]

 VIN BLANC SEC, PUISSANT, STRUCTURÉ, TRÈS TYPÉ

CÔTES-DU-JURA €€

Région : Franche-Comté. • **Cépages :** chardonnay, savagnin.
Harmonie : goût de noix du savagnin, goût de noisette du
fromage affiné : le pont aromatique se fait aussitôt entre
verre et assiette. Le chardonnay, lui, fluidifie, rafraîchit la
bouche qui, sans cela, resterait trop salée. Le palais ainsi
rincé peut savourer longuement les parfums conjugués
du trio fromage-charcuteries-vin.
Âge idéal : 2 à 6 ans. • **Temp. de service :** 10-11 °C.

 VIN ROUGE « CANAILLE » FRUITÉ ET RAFRAÎCHISSANT

VIN DE SAVOIE €€

Région : Savoie. • **Cépages :** mondeuse, pinot noir, gamay.
Harmonie : mondeuse poivrée, pinot noir fruité, gamay
gouleyant : ce vin « alpin », à servir frais, crée un lien franc
entre les saveurs laitières et le goût « cochonaille » de
ces plats d'expression montagnarde.
Âge idéal : 2 à 4 ans. • **Temp. de service :** 14-15 °C.

Un bon tour de moulin à poivre sur le fromage cuit relève sa saveur et fait le lien avec le poivré du vin rouge. Attention, avec le blanc, ayez la main légère !

ET AUSSI...

Les palais avertis peuvent tenter un Côtes-du-Jura au cépage savagnin pur, mais son arôme de noix plus prononcé et ses tanins plus astringents ne toléreront que des charcuteries très goûteuses et des fromages fermiers bien affinés pour réaliser les recettes.

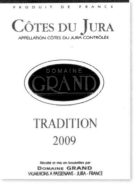

PRODUIT DE FRANCE

CÔTES DU JURA
APPELLATION CÔTES DU JURA CONTRÔLÉE

DOMAINE
GRAND

TRADITION
2009

Récolté et mis en bouteilles par
DOMAINE GRAND
VIGNERONS À PASSENANS · JURA · FRANCE

LAPIN AUX LARDONS ET PRUNEAUX
[ou filet mignon aux pruneaux]

 VIN ROUGE PUISSANT, STRUCTURÉ, « SOLIDE »

GAILLAC €€

Région : Sud-Ouest. • **Cépages :** duras, braucol, cabernet.
Harmonie : tendreté de la viande et douceur des pruneaux finiraient par endormir, ramollir les papilles. Le tanin solide du Gaillac réveille, ragaillardit les chairs tandis que ses parfums de prune sauvage à l'eau-de-vie rendent plus « adultes » les sages pruneaux.
Âge idéal : 3 à 5 ans. • **Temp. de service :** 15 °C.

 VIN ROUGE PUISSANT, CHARNU, TANNIQUE

BOURG CÔTES-DE-BORDEAUX €€

Région : Bordelais. • **Cépages :** merlot, cabernets.
Harmonie : les lardons fumés resserrent les liens entre verre et assiette. Le gras-fumé du plat contraste savoureusement avec les tanins boisés, fumés de ce vin élevé en fût tandis que les chairs tendres (viande et pruneaux) se prélassent dans le fruité et le velouté du cépage merlot.
Âge idéal : 3 à 5 ans. • **Temp. de service :** 16 °C.

Les lardons fumés présents dans la recette appellent de préférence un vin élevé en fût de chêne. Les saveurs toastées données par le fût renforcent la liaison entre plat et vin.

ET AUSSI...

On peut choisir un vin rouge dans toute la gamme des appellations bordelaises et du Sud-Ouest pour accompagner ce plat. Qu'il s'agisse de « grands » ou de « petits » crus, selon ses moyens, leur style (structure et arômes) apprécie les recettes à base de fruits noirs.

BLANQUETTE DE VEAU
[ou blanquette de dinde, filet mignon ou poulet à la crème]

🍷 VIN BLANC SEC, PARFUMÉ,
RAFRAÎCHISSANT ET DE BONNE TENUE

POUILLY FUMÉ €€

Région : Loire. • **Cépage :** sauvignon.
Harmonie : avec ses arômes citronnés et sa saveur acidulée, le cépage sauvignon (100 %) semble avoir été inventé pour rehausser la sauce. Vin et plat ont un rapport fusionnel qui laisse la bouche fraîche et parfumée.
Âge idéal : 2 à 4 ans. • **Temp. de service :** 9-10 °C.

🍷 VIN ROUGE FRUITÉ, ÉLÉGANT,
AUX TANINS FINS ET SOUPLES

FLEURIE €€

Région : Beaujolais. • **Cépage :** gamay.
Harmonie : sur le sol de Fleurie, le gamay perd sa gouaille de « p'tit Beaujolais », devenant plus charnu mais tout en finesse. Sur la tendreté du veau, il s'avère donc parfait. Ses arômes floraux ont la délicatesse de se fondre avec ceux de la sauce, qu'on a peu citronnée, bien sûr.
Âge idéal : 2 à 4 ans. • **Temp. de service :** 14-15 °C.

Le jus de citron donne du charme et du relief à la sauce. C'est sans trop d'incidence sur le vin blanc, mais il faudra être plus parcimonieux si vous optez pour un rouge : citron et vin rouge se craignent !

DU FROMAGE ?

Pouilly Fumé : avec tous les fromages de chèvre, fromages à pâte tendre (tomme, mimolette).
Fleurie : avec des fromages à pâte tendre (tomme, mimolette) et ceux à croûte fleurie (brie, camembert, saint-marcellin).

BARBECUE DE VIANDES

🍷 VIN ROUGE PUISSANT, CORSÉ ET TRÈS TYPÉ

CÔTES-DU-ROUSSILLON-VILLAGES €€

Région : Roussillon. • **Cépages :** grenache noir, syrah, carignan.
Harmonie : la complicité du vin avec les viandes naît pendant leur cuisson : mêmes senteurs animales, garrigue et poivre. En bouche, les saveurs de fruits rouges et noirs et de poivre (grenache) renforcent et soulignent le saignant des viandes ; les tanins frais et réglissés (carignan) en dissolvent le grillé ; et l'alcool (syrah) en fond généreusement le gras.
Âge idéal : 2 à 4 ans. • **Temp. de service :** 14-15 °C.

🍷 VIN ROSÉ SEC, ÉQUILIBRÉ ET AROMATIQUE

COTEAUX-D'AIX-EN-PROVENCE €€

Région : Provence. • **Cépages :** cinsaut, grenache.
Harmonie : puissantes et tenaces, les saveurs des viandes trouvent une juste balance dans ce rosé qui rééquilibre la bouche. Sa finesse florale allège l'amertume du goût grillé de la viande, ses petits fruits rouges en accentuent le saignant, sa générosité alcoolique et sa belle acidité en dissolvent le gras.
Âge idéal : 1 à 2 ans. • **Temp. de service :** 10 °C.

Les herbes doivent être directement jetées dans le feu, pour parfumer la viande à cœur, par fumigation. Saupoudrées sur la viande, elles calcineraient et lui donneraient un goût amer de brûlé.

NATURE DE SCHISTE
VIGNERONS DE MAURY
2009
Côtes du Roussillon Villages
V/M

Des vins rosés ou rouges élevés en fût de chêne renforcent les saveurs fumées des viandes cuites au feu de bois, mais en « digèrent » mieux le gras. Avec des vins élevés en cuve, l'accord reste judicieux, mais plus fruité, plus rafraîchissant.

TAJINE DE POULET AU CITRON CONFIT
[ou veau au citron confit]

♥ VIN BLANC SEC, MINÉRAL, FRAIS, NET

ALSACE RIESLING €€
Région : Alsace. • **Cépage** : riesling.
Harmonie : si poulet et citron dominent le plat, le riesling se révèle pleinement : sa très belle acidité aux saveurs de citron et de pamplemousse répond point par point au citron confit, et sa minéralité s'entend à merveille avec la chair blanche, tendre et fine du poulet. Aromates et épices doivent donc intervenir à petites touches.
Âge idéal : 2 à 5 ans. • **Temp. de service** : 9-10 °C.

VIN BLANC DOUX, EXOTIQUE, RAFRAÎCHISSANT

JURANÇON DOUX €€€
Région : Sud-Ouest. • **Cépages** : petit et gros mansengs.
Harmonie : c'est une fête exotique au nez comme en bouche – douceur, suavité, complexité du vin et du plat sont en parfaite osmose pour réjouir le palais !
Âge idéal : 2 à 5 ans. • **Temp. de service** : 8 °C.

Selon le type de vin, sachez doser les épices : juste ce qu'il faut avec un vin sec, un peu plus avec un vin doux. Seul le citron peut être rajouté, au goût de chacun. Les olives, elles, doivent rester discrètes quel que soit le vin.

ET AUSSI...
On peut intervertir les styles de ces vins avec un Riesling « Vendanges Tardives » (donc doux) et un Jurançon sec ; l'accord restera tout aussi juste.

ALSACE

B

BAUMANN ZIRGEL

Riesling

2009

MAGRET DE CANARD AUX PÊCHES
[ou pintade aux figues]

 VIN ROUGE PUISSANT, TANNIQUE, GÉNÉREUX, TYPÉ

CAHORS €€

Région : Sud-Ouest. • **Cépages :** malbec, merlot, tannat.
Harmonie : efficace, ce Cahors possède corps (alcool), résistance (tanins), parfum (cuir) nécessaires pour attendrir la chair ferme et goûteuse du canard. Il sait aussi répondre aux saveurs caramélisées et fruitées des oreillons de pêche. De plus, son arrière-goût de pêche au vin rouge perdure délicieusement en bouche.
Âge idéal : 3 à 5 ans • **Temp. de service :** 16 °C.

 VIN ROUGE PUISSANT, GÉNÉREUX, ÉPICÉ, ÉLÉGANT

MINERVOIS LA LIVINIÈRE €€

Région : Languedoc. • **Cépages :** grenache, syrah.
Harmonie : puissance, équilibre, complexité, longueur... Ce vin présente toutes les qualités pour tenir tête aux volailles à chair goûteuse et a la finesse nécessaire pour figurer aux côtés des saveurs caramélisées des fruits.
Âge idéal : 3 à 5 ans • **Temp. de service :** 15-16 °C.

Le principe des
recettes à saveur
salée-sucrée est
de jouer le contraste
en panachant
viandes « fortes »
et fruits doux.
Mais selon le fruit,
le vin doit « suivre » :
vins rouges du
Sud-Ouest avec la
pêche plus juteuse,
ceux du Midi avec
la suave figue...

Les parfums et tanins fumés
par l'élevage en fût de chêne
éventuel ne nuiront pas à
l'harmonie sur les recettes aux
fruits, à condition que
les vins soient déjà
un peu « mûris » par l'âge,
et passés en carafe.

GIGOT D'AGNEAU DE 7 HEURES
[ou confit de canard, palette de porc confite]

 VIN ROUGE PUISSANT, TANNIQUE ET ÉLÉGANT

SAINT-ÉMILION GRAND CRU €€€

Région : Bordelais. • **Cépages :** merlot, cabernets.
Harmonie : il faut laisser aux beaux tanins, à la fois fruités (merlot) et fumés (élevage en fût), le temps de pénétrer au cœur de la viande moelleuse. Et faire perdurer les arômes de fruits noirs, sous-bois, boisés-fumés, épices douces entremêlés à ceux de viande confite.
Âge idéal : 3 à 7 ans • **Temp. de service :** 17 °C.

 VIN ROUGE PUISSANT, ÉPICÉ, SENSUEL

CHÂTEAUNEUF-DU-PAPE €€€

Région : Vallée du Rhône. • **Cépages :** grenache, syrah, cinsaut, carignan.
Harmonie : carafé, ce vin déleste ses fragrances de garrigue, bois sec, caillou chaud, épices, réglisse, fruits secs... Les parfums de la viande, longuement développés par la cuisson, y trouvent un parfait écho. Un régal de tout premier ordre !
Âge idéal : 4 à 10 ans • **Temp. de service :** 16 °C.

Ayez la main légère avec les herbes de Provence ou les épices fortes. Simplement relevée de différents poivres moulus et d'huile d'olive, la pièce de viande présentera la simplicité qui la mettra naturellement en valeur auprès d'un vin de prix.

DU FROMAGE ?

Ces vins rouges puissants et complexes pourront aussi accompagner un somptueux plateau de fromages bien affinés (très affinés si les vins sont un peu vieux).

COUSCOUS ROYAL

🍷 VIN ROUGE PUISSANT, ÉPICÉ, CHALEUREUX

CÔTES-DU-RHÔNE-VILLAGES €€

Région: Vallée du Rhône. • **Cépages:** grenache, syrah, carignan.
Harmonie: en bouche, tandis que viandes moelleuses, légumes fondants et tendres graines s'entremêlent lascivement, les tanins du vin redonnent des contours. Son fruité sauvage retend chaque élément, son poivré exalte l'épice, son arôme cuir souligne le parfum des viandes, et sa générosité alcoolique fait perdurer toutes les saveurs.
Âge idéal: 2 à 5 ans • **Temp. de service:** 16 °C.

 VIN ROSÉ SEC, STRUCTURÉ, ÉPICÉ, GÉNÉREUX

COLLIOURE €€

Région: Roussillon. • **Cépages:** grenache, syrah, mourvèdre.
Harmonie: ce rosé du «Grand Sud» de la France a tous les atouts pour s'harmoniser avec le couscous. La puissance de ses fruits rouges macérés et poivrés redonne du tonus à tous les éléments du plat autant qu'il désaltère. En finale, la bouche reste nette, presque fraîche, et bien parfumée.
Âge idéal: 1 à 2 ans. • **Temp. de service:** 11 °C.

On aime le couscous pour ses saveurs épicées, relevées voire pimentées. Rien ne sert de prescrire d'épicer moins pour faire meilleur accueil au vin ! Autant en choisir un qui ait du répondant : le plus puissant, complexe et poivré possible.

DU FROMAGE ?

Pour continuer tout en restant dans la note méditerranéenne, servez des crottins de chèvre marinés à l'huile d'olive, ail, poivre et herbes de Provence.

ORTAS

CÔTES DU RHÔNE VILLAGES

APPELLATION CÔTES DU RHÔNE VILLAGES CONTRÔLÉE

2010

MIS EN BOUTEILLE À LA PROPRIÉTÉ

PRODUIT DE FRANCE

CAVE
RASTEAU

PLATEAU DE FRUITS DE MER
[ou terrine de poisson et de fruits de mer]

VIN BLANC TRÈS SEC, VIF, MINÉRAL (IODÉ), « NET »

CHABLIS ⊜⊜

Région : Bourgogne. • **Cépage :** chardonnay.
Harmonie : le Chablis respecte la salinité, les arômes iodés, les chairs fermes. Ancien fond marin, son terroir explique la netteté minérale et les saveurs de ce vin. Les arômes de citron, noisette et beurre frais du chardonnay font merveille sur tout le plateau et même sur une tartine beurrée !
Âge idéal : 2 à 4 ans • **Temp. de service :** 8-9 °C.

VIN ROUGE LÉGER, FRUITÉ ET RAFRAÎCHISSANT

ALSACE PINOT NOIR ⊜⊜

Région : Alsace. • **Cépage :** pinot noir.
Harmonie : les chairs des fruits de mer semblent revivre au contact du vin. D'abord elles se crispent sous la « morsure » tannique, puis se détendent sous l'action de son fruité gouleyant. Le choc entre l'acidulé du pinot et le salé iodé convainc vite ceux qui osent essayer cet accord.
Âge idéal : 2 à 4 ans. • **Temp. de service :** 13-14 °C.

*Avec le vin blanc, ne mettez pas plus d'une
goutte de citron ! Avec le rouge, uniquement
une goutte de vinaigre à l'échalote !
Et « rien » sera parfait pour les deux vins.*

Pour le Chablis comme pour
le Pinot noir, choisissez
des vins élevés en cuve
et non en fût de chêne.
Tanins et arômes boisés
annihileraient le fruité
rafraîchissant requis sur
ce plat.

les vénérables
~ VIEILLES VIGNES ~
CHABLIS
APPELLATION CHABLIS CONTRÔLÉE
mis en bouteille à la propriété
12,5% vol.   75cl
LA CHABLISIENNE · CHABLIS · BOURGOGNE · FRANCE

MOULES MARINIÈRES
[ou matelote de poisson au vin blanc]

UN VIN BLANC TRÈS SEC, VIF
ET DÉSALTÉRANT

MUSCADET SUR LIE 🟢

Région : Pays nantais. • **Cépage :** melon de Bourgogne.
Harmonie : entre verre et assiette, tout se fait dans la simplicité mais aussi dans la justesse, car le vin utilisé pour la sauce garantit la liaison. La belle acidité citron-pamplemousse, le léger perlant et la salinité iodée du Muscadet retendent la chair souple de la moule et renforcent sa saveur marine.
Âge idéal : 1 à 3 ans. • **Temp. de service :** 7-8 °C.

VIN BLANC SEC, ÉQUILIBRÉ, MARIN

COTEAUX-DU-LANGUEDOC PICPOUL DE PINET 🟢

Région : Languedoc. • **Cépage :** picpoul blanc.
Harmonie : les garrigues odorantes et les pinèdes qui entourent le vignoble, la Méditerranée qui le borde imprègnent le Picpoul. Cuisinée au même vin, la recette prendra une expression languedocienne.
Âge idéal : 1 à 2 ans. • **Temp. de service :** 7-8 °C.

Si le vin servi à table entre dans la composition de la sauce, l'accord n'en sera que meilleur. On peut aussi utiliser, selon affinité, Gros-Plant, Entre-deux-Mers, et même Riesling ou Sylvaner, voire Bourgogne aligoté ! L'essentiel est que le vin blanc soit bien sec.

Rien de tel qu'une bière blonde, de préférence d'abbaye, pour donner à ce moment « moules » (avec frites, évidemment) le charme convivial d'un repas à l'estaminet. Surtout si la sauce est faite avec une pinte de la même bière.

Domaine de la Louvetrie
MUSCADET SÈVRE ET MAINE
APPELLATION MUSCADET SÈVRE ET MAINE CONTRÔLÉE
SUR LIE

2010

Mise en bouteille au Domaine par
JO LANDRON - VERTOU
LA HAYE-FOUASSIÈRE - FRANCE

CREVETTES AU CURRY
[ainsi que toutes les recettes de la mer aux légumes et en sauce curry]

🍷 VIN BLANC SEC À « TENDRE » (PRESQUE DEMI-SEC), ROND ET TRÈS AROMATIQUE

ALSACE GEWURZTRAMINER €€

Région : Alsace. • **Cépage :** gewurztraminer.

Harmonie : la correspondance se fait aussitôt entre les parfums orientaux du curry et ceux du vin (rose, litchi, bergamote, pêche, poivre rose...). En bouche, la tendreté des crevettes et du riz, et la rondeur du Gewurztraminer rivalisent de souplesse. Une harmonie, à savourer les yeux fermés.

Âge idéal : 2 à 4 ans. • **Temp. de service :** 7-9 °C.

🍷 VIN ROSÉ SEC, PUISSANT, ÉPICÉ (POIVRÉ) ET CHALEUREUX

CÔTES-DU-RHÔNE €€

Région : Vallée du Rhône. • **Cépages :** grenache, syrah, cinsaut.

Harmonie : la puissance alcoolique et poivrée du vin renforce le curry en arômes et en chaleur. Le curry, lui, révèle du rosé les parfums de fruits rouges bien mûrs et macérés et la note de rose séchée. Une alliance raffinée.

Âge idéal : 1 à 2 ans. • **Temp. de service :** 9 à 11 °C.

Le curry doit seulement parfumer, voire relever la sauce. Trop pimenté, il nuirait à la bonne entente avec le vin et pourrait en anéantir les saveurs...

ET AUSSI...

Les inconditionnels du rouge resteront dans les mêmes régions : un rouge d'Alsace, pour rafraîchir le palais, un rouge du Rhône pour exalter la chaleur épicée.

PAVÉ DE SAUMON À LA CRÈME
[ou tous les plats de poisson crémés]

🍷 VIN BLANC SEC, ÉQUILIBRÉ,
RAFRAÎCHISSANT, ÉLÉGANT

GRAVES €€
Région : Bordelais. • **Cépages** : sauvignon, sémillon.
Harmonie : en matière de contraste (gras-acidité, moelleux-astringence) ou de ressemblances (gras-moelleux, acidulé-astringence), toutes sortes de liens unissent ce plat et son vin. Saumon, crème, épinards et vin forment un magnifique quatuor !
Âge idéal : 2 à 3 ans • **Temp. de service** : 10 °C.

🍷 VIN BLANC SEC, STRUCTURÉ, RACÉ,
« DROIT »

SAVENNIÈRES €€€
Région : Anjou. • **Cépage** : chenin.
Harmonie : si le saumon est choisi « sauvage » et cuit à la perfection, sobrement nappé de crème et d'épinards, la classe austère de ce grand chenin saura le mettre en valeur avec superbe, de la finesse de sa chair au moindre de ses parfums.
Âge idéal : 3 à 5 ans • **Temp. de service** : 11 °C.

Saumon et crème sont la base du plat. Si vous les accompagnez de riz uniquement, un vin blanc élevé en fût est largement compatible. Avec l'acidité des épinards ou de l'oseille, il faut la vivacité et la fraîcheur d'un vin « pur fruit », donc sans le tanin vanillé et fumé donné par le bois.

ET AUSSI...

Les recettes à base de saumon « raffolent » du cépage sauvignon, présent dans les vins blancs du Sancerrois, de la Touraine et du Haut-Poitou ainsi que dans ceux du Bordelais ou du Bergeracois.

Château d'Ardennes

GRAVES
APPELLATION GRAVES CONTRÔLÉE
2009
MIS EN BOUTEILLE AU CHÂTEAU
Fst S Dubrey Vignerons

CRÊPES PARTY

🍷 VIN BLANC EFFERVESCENT,
FRUITÉ, TYPÉ

BLANQUETTE DE LIMOUX €€

Région : Languedoc. • **Cépages :** mauzac, chenin, chardonnay.
Harmonie : les crêpes présentent une structure moelleuse,
mais compacte en bouche. Rien de tel que le pétillant
d'une Blanquette pour activer la mastication puis rincer
les papilles ! Une gorgée aux saveurs de pomme, pêche,
pamplemousse évite ainsi l'effet roboratif. Choisissez la version « brut » sur les crêpes salées, « doux » sur les sucrées.
Âge idéal : non millésimé. • **Temp. de service :** 7 °C.

🍷 VIN BLANC SEC, PUISSANT,
ENVELOPPANT, GÉNÉREUX

ALSACE PINOT GRIS €€

Région : Alsace. • **Cépage :** pinot gris.
Harmonie : vin et crêpes jouent dans la même cour : mêmes
rondeurs, saveurs enveloppantes, persistance en bouche...
aucun ne bouscule l'autre. Au contraire, ils s'encouragent
à rester tranquilles. Servez le Pinot gris sec sur les crêpes
salées et le « Vendanges Tardives » sur les sucrées.
Âge idéal : 2 à 4 ans. • **Temp. de service :** 10 °C.

Si l'essentiel du repas est constitué de crêpes salées, préférez un vin sec, brut. Mais si vous fourrez vos crêpes uniquement de confiture, miel ou autre ingrédient sucré, c'est un vin doux qui devra l'emporter.

2010
ANTECH
— LIMOUX —
RÉSERVE
BRUT

BLANQUETTE DE LIMOUX

ET AUSSI...

Le cidre reste la plus traditionnelle des boissons pour accompagner les crêpes. Coup de cœur à noter pour cet accord ! Le fin du fin consiste à servir le cidre aussi avec des fromages normands : pont-l'évêque, camembert et livarot sont parfaits à ses côtés.

PLATEAU DE FROMAGES AFFINÉS

VIN BLANC SEC, ÉQUILIBRÉ, OPULENT
ET ÉLÉGANT, ÉLEVÉ EN FÛT DE CHÊNE

BEAUNE €€€

Région : Bourgogne. • **Cépage :** chardonnay.
Harmonie : avec tant de saveurs annoncées sur le plateau, seul un vin « consensuel » est envisageable ! Tel ce chardonnay, issu de l'un des meilleurs terroirs de Bourgogne. Il offre un parfait équilibre de structure (fraîcheur, générosité, beaux tanins boisés) et le raffinement de sa complexité aromatique.
Âge idéal : 2 à 5 ans. • **Temp. de service :** 10-11 °C.

VIN ROUGE, FRUITÉ, ÉPICÉ, GÉNÉREUX

CÔTES-DU-RHÔNE €€

Région : Vallée du Rhône. • **Cépages :** grenache, syrah.
Harmonie : avec des tanins assez ronds, réglissés, épicés et fruités, le Côtes-du-Rhône convient à toutes les textures de pâte (souples à dures) et à tous les parfums (vache, chèvre, brebis). C'est un grand classique sur tous les fromages.
Âge idéal : 2 à 4 ans • **Temp. de service :** 16 °C.

*Si vous optez pour
le blanc sec, évitez
les fromages persillés :
il les rendrait amers.
Le rouge risque de faire
« savonner » les fromages
très crémeux et coulants
(camembert, saint-félicien).*

PRODUIT
DE FRANCE

VIN DE
BOURGOGNE

BEAUNE
APPELLATION BEAUNE CONTRÔLÉE
LES MONSNIERES
MIS EN BOUTEILLE AU DOMAINE

DOMAINE DU LYCEE VITICOLE
Viticulteur à Beaune (Côte-d'Or) France

13% vol

750 ml

ET AUSSI...

L'idéal serait d'allier chaque fromage avec le vin ou une autre
boisson de sa région (camembert et cidre brut, vieux maroilles et
bière trappiste brune...). Les fromages d'un affinement extrême
adorent les eaux-de-vie régionales (très vieux munster
et marc de gewurztraminer, camembert et calvados), mais
cela alourdirait les achats et le budget pour tout un plateau.

FONDANT AU CHOCOLAT
[et tous les desserts à base de chocolat noir]

 VIN ROUGE DOUX, FRUITÉ, ÉPICÉ, PUISSANT

MAURY ⊜⊜

Région : Roussillon. • **Cépage :** grenache noir.
Harmonie : tout est puissance et concentration dans la couleur, la texture et les parfums du gâteau comme du vin. Les papilles anticipent sur une épreuve de force, mais c'est tout le contraire ! Tanins et alcool fondent la compacité du gâteau. Les parfums « sombres » du chocolat se « colorent » de cerise, cassis, framboise. Une perfection !
Âge idéal : 2 à 5 ans • **Temp. de service :** 14-15 °C.

 VIN DOUX ÉPICÉ, SUAVE ET « CARAMÉLISÉ »

RIVESALTES « TUILÉ » OU « HORS D'ÂGE » ⊜⊜

Région : Roussillon. • **Cépage :** grenache noir.
Harmonie : solide et liquide se confondent en bouche. L'envoûtant chocolat se laisse ensorceler par les nuances complexes de miel, caramel, épices douces, pain d'épices, fruits confits de ce vieux Rivesaltes.
Âge idéal : « hors d'âge » (très vieux). • **Temp. :** 14-15 °C.

Proscrivez le café dans la recette si vous optez pour le Maury ou un autre vin doux naturel jeune (« vintage », « grenat », « rubis »...) : son goût torréfié ruinerait le bel accord du chocolat noir avec les saveurs de fruits rouges du vin.

ET AUSSI...

Lorsqu'on a goûté les vins doux naturels (VDN) rouges, jeunes ou vieux, sur le chocolat noir, on ne revient souvent plus jamais sur des blancs doux ! Essayez aussi les rouges doux de Banyuls ou de Rasteau.

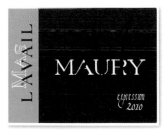

GOÛTER ENTRE AMIS
[assortiment de desserts, pièce montée]

 VIN BLANC MOELLEUX, PARFUMÉ ET SUAVE

LOUPIAC €€€
Région : Bordelais. • **Cépages :** sémillon, sauvignon, muscadelle.
Harmonie : la douceur règne en bouche. Avec chaque dessert, le Loupiac joue l'effet miroir. Il conforte la suavité de l'ensemble tout en y instillant une élégante fraîcheur acidulée aux saveurs de fruits confits et de pâte d'amande.
Âge idéal : 2 à 4 ans. • **Temp. de service :** 7 °C.

 VIN BLANC EFFERVESCENT, DOUX ET SUAVE

CHAMPAGNE DEMI-SEC €€€
Région : Champagne. • **Cépages :** pinots meunier et noir, chardonnay.
Harmonie : dans sa version « demi-sec », le champagne, souple et doux, devient plus propice à fusionner avec les saveurs résolument sucrées des desserts. Sa fine bulle fluidifie les crèmes et son petit fond acidulé fait chanter les fruits.
Âge idéal : non millésimé. • **Temp. de service :** 7-8 °C.

Les vins blancs liquoreux ou demi-secs sont appréciés de tous avec les desserts classiques, sauf ceux au chocolat noir ou imbibés d'eau-de-vie. Pensez aussi aux vins doux rouges (Maury, Banyuls, Rasteau) sur le cacao, et à un rhum sur le baba !

2009

Château La Bertrande

LOUPIAC

APPELLATION LOUPIAC CONTRÔLÉE

13,5% vol. MISE EN BOUTEILLES AU CHATEAU 750 ml

VIGNOBLES ANNE-MARIE GILLET - VITICULTEUR A OMET - GIRONDE

Évitez impérativement un vin sec ou brut sur les desserts.
Il n'en paraîtrait que plus violemment acide, amer, « dur ».
Mettez plutôt un dessert de plus... dans le verre :
une Blanquette de Limoux, une Clairette de Die, un Muscat doux...

GALETTE DES ROIS À LA FRANGIPANE
[ou pithiviers, brioche à la crème d'amande]

VIN BLANC DOUX, FRUITÉ ET PARFUMÉ
MONBAZILLAC ⊜⊜
Région : Bergerac. • **Cépages :** sémillon, sauvignon.
Harmonie : par-dessus ses senteurs de fruits confits, une touche d'amande douce parfume naturellement le vin. C'est une harmonie parfaite avec le délicieux fourrage (ou la crème) au goût d'amande. Le feuilleté fondant comme la moelleuse brioche s'y accordent tout aussi bien.
Âge idéal : 2 à 3 ans. • **Temp. de service :** 8 °C.

VIN BLANC EFFERVESCENT, DOUX, FRUITÉ, TRÈS AROMATIQUE
CLAIRETTE DE DIE « MÉTHODE ANCESTRALE » ⊜⊜
Région : Vallée du Rhône. • **Cépages :** muscat, clairette.
Harmonie : au nez et en bouche, c'est une explosion de fruits : amande (gâteau) et muscat (vin) exaltent leurs parfums. La fine bulle titille agréablement la pâte feuilletée ou briochée. La faiblesse alcoolique de ce vin (6,5 % vol. environ) permet cette alliance tout en légèreté.
Âge idéal : non millésimé. • **Temp. de service :** 7 °C.

Les saveurs fines de l'amande demandent à être respectées par des vins qui les exaltent et les soulignent. Un léger élevage en fût renforce les saveurs noisette et amande des vins doux, et les rend propices à accompagner les desserts à base d'amande.

ET AUSSI...

Un Muscat de Rivesaltes présente les mêmes liaisons aromatiques que la Clairette de Die, les bulles en moins (pour les réfractaires à la pétillance), mais la douceur et la générosité alcoolique (15,5 % vol.) en plus !

Domaine
HAUT MONTLONG
Inundition
2009

MG

MONBAZILLAC
APPELLATION MONBAZILLAC CONTRÔLÉE